郑栗儿/著

王子面/绘

大师密码 A－Z系列

大师密码Z

小鞋匠大冒险

人民东方出版传媒
People's Oriental Publishing & Media
東方出版社
The Oriental Press

图书在版编目（CIP）数据

大师密码 . Z, 小鞋匠大冒险 / 郑栗儿著 ; 王子面绘 . —北京 : 东方出版社 , 2015.11

ISBN 978-7-5060-8750-6

Ⅰ. ①大… Ⅱ. ①郑… ②王… Ⅲ. ①儿童故事—作品集—中国—当代 Ⅳ. ① I287.5

中国版本图书馆 CIP 数据核字（2015）第 268215 号

大师密码 Z：小鞋匠大冒险
（DASHI MIMA Z: XIAOXIEJIANG DAMAOXIAN）

作　　者：郑栗儿
绘　　者：王子面
产品经理：张媛媛
责任编辑：张媛媛
出　　版：东方出版社
发　　行：人民东方出版传媒有限公司
地　　址：北京市东城区朝阳门内大街 166 号
邮政编码：100706
印　　刷：小森印刷（北京）有限公司
版　　次：2016 年 3 月第 1 版
印　　次：2016 年 3 月第 1 次印刷
印　　数：1—5 000 册
开　　本：720 毫米 ×950 毫米 1/16
印　　张：5
字　　数：48 千字
书　　号：ISBN 978-7-5060-8750-6
定　　价：18.00 元
发行电话：（010）64258117 64258115 64258112

目录

出版前言

每个父母都希望孩子未来能出类拔萃，并在孩子的教育问题上倾尽心力。

许多孩子长大后成熟乐观，在社会上如鱼得水，但不少人成年后并不快乐。他们即使地位显赫、经济条件优越，依然郁郁寡欢。带来快乐的因素有很多，其中起决定作用的则是人格。面对同样的问题，不同的人格往往造就不同的结果。

怎样才能培养健全的人格？我们不妨到传统文化中去寻找答案。几千年来，儒、道、佛相得益彰，共同塑造着国人的精神世界。儒家关切社会的治理，道家关怀生命自然状态的保持，而佛家则关心人生痛苦的解除。故此，历史上就有“儒家治世、道家治身、佛家治心”的说法。

今天很多人习惯于将佛教简单理解为一种宗教，有的人甚至认为它是封建迷信。如果去掉宗教的外衣，它其实是一座充满智慧，兼具心理、品德教育功能的文化宝库。

为此，我们从台湾引进了这套“大师密码”A–Z 系列。这套书以 130 个佛教大师的成长故事，体现了 130 个美好的人格特质。沉着、孝顺、无畏、远见……从这些有趣的故事里，孩子们不但可以学会如何获得成功，更能明白如何倾听内心的声音，获得快乐。

这套书结构编排巧妙，集合了台湾优秀的作家及插画师。书中故事生动活泼，插画精美，在台湾广受好评，曾获得台湾“第 27 次中小学生优良课外读物推介”。相信它同样会得到大陆青少年朋友的喜爱。

大师的密码　成功的特质

在我还是青少年时，就很喜欢阅读佛教大师的传记故事。可以说，我的人格就是从阅读大师的史传故事，点点滴滴建立起来的。

不论大人、小孩都喜欢读故事，法鼓文化历时两年的筹备，制作了这套有丰富精美插画的“大师密码”A–Z 系列。这套书中，选出 130 个“大师的美好特质”，一个特质就是一个大师故事，让孩子在趣味的故事中自然吸收大师的养分。

我曾指出佛教的高僧必须具有四大条件：持戒清净、修行精进、慈悲济众与护持佛法；如果转换成现代人的语汇，就是自律、认真、宽大、懂得回馈，而这些正是所有成功人士必备的条件。

很多家长以为孩子学佛会变得消极、不具竞争力；如果从大师的四大条件来看，这样的想法完全错误！孩子接触佛法绝对会更积极、健康，能为他们的一生奠定稳固的基础。

大师们的成就绝非偶然，也没有人一出生就是大师，父母应该提供这样的环境，让人格正在成长形塑中的孩子，吸收历代大师们的生命菁华，转化为他们自己的。我相信这一套“大师密码”A–Z 系列，能够成为孩子们成长的助缘！

聖嚴

台湾法鼓山禅修文教体系创办人

小鞋匠大冒险

大师密码　Zeal 热诚

法尊大师被尊为“当代玄奘”，一生虽没有传奇的故事，但他所翻译的西藏佛典作品数量惊人，比神话更让人惊奇。

法尊出生于清朝末年河北贫困的家庭，只在小学读了三年，就不得不休学到鞋店当学徒，自力更生。偏偏他经常生病，所以无法学成技艺，后来前往五台山出家，从此人生气象焕然一新。

他在就读太虚大师主办的武昌佛学院时，奠立了扎实的汉传佛教佛学根基，后来随着大勇法师在北京藏文学院研读藏文，并参加留藏学法团西行。虽然途中危险重重，但法尊还是如愿入藏学法，直到太虚大师请他回汉地主持汉藏教理院为止。

法尊致力于翻译藏文经典与撰写佛学论文，对汉藏文化交流影响深远，他的作品为全球汉藏佛学学者必读的经典。

小档案　法尊

- 国籍：中国
- 名字：温妙贵
- 尊称：现代玄奘
- 笔名：避嚣室主
- 专长：翻译、佛学研究
- 影响：首位系统地把藏传佛教显密理论介绍到汉地
- 事迹：为二十世纪中国佛教佛典翻译量最多的翻译家之一

小鞋匠手拿着针线，正在缝制一只新鞋。因为天气太寒冷，小鞋匠穿得太单薄，他忍不住打起一连串的喷嚏，把窝在脚边取暖的小猫都吓跑了。

夜里，小鞋匠发起高烧，第二天无法上工，只留下还没缝好的鞋底。老师傅摇头叹气说：“客人都抢着年底来做新鞋，你却一天到晚生病，怎么赶得及把鞋做好？”

躺在床上的小鞋匠一边流着鼻涕，一边跟老师傅道歉：“对不起！我马上起床来做鞋！”但头昏昏的他，病得连站都站不稳。

老师傅扶他回到床上：“算了！也不能怪你身体差，我另外找人帮忙好了！”

小鞋匠整整躺了一个冬天，身体也瘦成了皮包骨，他心想：“我不能再拖累师傅了！”

随着春暖花开的时节来临，小鞋匠终于像枝头的新芽，抽发出一丝健康活力，久病初愈的他决定只身前往五台山，在玉皇庙出家。小鞋匠从此变成了小沙弥❶，他换了一个新名字叫“法尊”。

在当小沙弥的第一天，他对自己说：“法尊，就是‘尊敬佛法’的意思，从今天起，我可要好好地守护佛法！”

这一年的秋叶落得早，有一群到五台山参访的僧侣，被邀请到玉皇庙讲经。身形高大、挺拔如山的大勇法师，在大殿上以洪钟般的沉稳声音，悠悠讲起了佛教古老的经典《佛遗教经》❷：“这部经典是佛陀在过世前，为弟子所上的最后一堂课。由于他担心弟子的修行会迷失了方向，所以特别提出‘把戒律教法当成老师来学习’的说法。”

❶ **沙弥**：指佛教僧团中，尚未受完整戒律，年龄在七岁以上、未满二十岁的出家男子。

❷ **《佛遗教经》**：为重要的佛教经典，是佛陀过世前所说的最后教法。

在底下听得入神的法尊，被这番话深深地触动了。他隔天一早就去向大勇法师请教："请问出家人应该做什么事，出家才算有意义呢？"

见到这位长相清秀的少年沙弥，如此懂得上进，大勇法师非常欢喜地说：“佛教高僧出家不是为了追求自己的离苦得乐，而是为了求众生的离苦得乐，所以立下了大誓愿要以佛法度化众生，例如唐朝义净大师为了翻译佛经，就历尽千辛万苦到印度求法，还差点半途丧命。”

受到大勇法师的启发，法尊对古代到印度取经的译经大师产生了好奇，决定跟随大勇法师到北京拜见太虚大师，并到佛学院读书。后来大勇法师去日本学习密法，回国后，大勇法师接触到藏传佛教密法，想去西藏求法，而法尊从佛学院毕业后，也研习了藏文，准备和大勇法师一起到西藏去。

大家都劝法尊说：“去西藏的路途遥远又危险，不但容易得高山症，沿途又有抢匪，最好别轻易冒险。”

1925 年，不顾旁人的劝阻，法尊一行人出发去西藏，在途中的乌尤寺，法尊读完义净法师所写的《南海寄归传》后，更是大受感动，写下心得：“中国的佛典经论，字字都是血与泪的结合，也是我们的前辈发大悲心和大无畏心，不顾一切的牺牲所得来的。”

法尊也在心中暗自立下志向：“我已经知道我要做什么了，我要效法前人，凡是汉地所没有的西藏佛教典籍，我都发愿学习，把它们翻译出来。”

一阵阵马蹄声，忽然出现在空旷的草原上，挡住翻山越岭前往西藏的僧人们，原来是一伙想要抢劫的土匪："把钱财拿出来，就放你们一条生路！"

僧人们哪有什么钱财，只有一笔共同的旅费，为了保证大家的安全，不得已还是把这笔钱交出去。

土匪拿了钱，还不满意："就这么点钱？算了！看在你们是出家人的份儿上，放你们一马。"说完，便扬长而去，留下身无分文的僧人们，只能勉强走到打箭炉。

打箭炉是汉人和藏人交易茶、马等物品的热闹市集，但法尊无心待在此地，在得知不远处的跑马山有一位慈愿大师后，他兴奋地向同

行的朗禅说："我想去跟慈愿大师学习，你要不要一起去？"

"万一又遇到抢匪怎么办？"朗禅有些顾虑。

法尊却说："求道哪还怕什么危险，总不能一直困在这里吧！"

朗禅听后点头同意了，两人便继续出发去跑马山，向慈愿大师学习了一年，法尊从中接触到西藏佛教格鲁派❸创始者宗喀巴❹大师的经论，让法尊非常赞叹，并不时和朗禅交换学习的喜悦："西藏佛法真的太棒了！哪怕死在这里，我也了无遗憾。"

在西藏各地求学期间，法尊开始尝试将藏文佛经翻译成汉文。当他抵达佛教圣地拉萨时，皮肤已经晒得和藏人的皮肤一样颜色了。

看着日出时的布达拉宫❺，既高耸又庄严，法尊忍不住落下眼泪："走了六年，我还是走到了，只可惜大勇师父已经过世。"

在拉萨的三年间，法尊把西藏重要的经论全部学成。西藏佛典的精华，就在他前后九年的游学中，完全融入了他的那一颗热诚的心。

❸ **格鲁派**：公元十五世纪，为宗喀巴所创的藏传佛教宗派，"格鲁"意为善律，所以又称善律派。由于格鲁派教法大部分是承袭噶当派而来，所以格鲁派又称"新噶当派"。

❹ **宗喀巴**：藏传佛教格鲁派的创始者，致力宗教改革，班禅一世与达赖一世是他的两大弟子，作品集结为《宗喀巴文集》。

❺ **布达拉宫**：位于西藏拉萨，为西藏最大佛寺，也是世界上海拔最高的宏伟建筑。为旧时西藏政教合一的统治中心。

这一天，法尊收到了一封远方的来信，是太虚大师所写的："汉藏教理院已经初步建设完成，就等你回来主持培育僧才的事业，以实践我们人间佛教的理想。"

法尊内心非常矛盾，回想这一段来藏求法的岁月，更加不舍，"在康藏游学的这几年，是我这一生中，最有趣、也最满意的一幅图画了。可是我怎能辜负太虚师父的恩情呢？"

在回汉地前，法尊特别向一位老格西❻辞别："我要回汉地去了！"

老格西明白法尊的不舍之情，微笑着说："你就算在拉萨当上了第一名的格西，像我这样，头上顶着一把黄伞，也不如回去把宗喀巴的《菩提道次第广论》❼翻译出来，好好在汉地推广，那对佛法和众生才更有益。"

❻ **格西**：藏传佛教格鲁派的格西，相当于佛学博士学位或教授。

❼ **《菩提道次第广论》**：宗喀巴的代表作品，总摄三藏十二部经的要义，详细介绍了佛教的修学次第。

法尊听了老格西的话，顿时豁然开朗起来。他从西藏归来后，致力于推动藏传佛教，并翻译《菩提道次第广论》等书，一生孜孜不倦于翻译事业，因此被尊为“现代玄奘”。

打破自己的漆桶！

大师密码 Zenith 登峰造极

你有办法破解生命从哪里来的密码吗？力倡“看话禅”的宋朝临济宗的大慧宗杲禅师，教人们当自己生命的侦探，用祖师的智慧禅语不断叩问自己，解开“我是谁”的谜底。

宗杲十七岁在东山慧云寺出家后，曾参访过许多明师，在圜悟克勤禅师点拨下大悟禅机，继承圜悟克勤禅师的禅法，名震京师。丞相吕舜徒还奏请皇帝颁赐紫衣，得到“佛日大师”的赐号。

可惜好景不长，秦桧为斩除异己，陷害宗杲师徒，将他们流放至偏远地区，夺除僧人资格。虽然宗杲师徒一百多人因此病死过半，但宗杲反而顺着因缘将禅法传给这些偏远地区的居民，并整理出重要禅宗公案作品《正法眼藏》。在得到特赦恢复僧人资格后，大慧宗杲受到更大的敬重，成为名垂千古的大宗师。

小档案 大慧宗杲

- 国籍：中国
- 谥号：普觉禅师
- 专长：禅修
- 影响：力倡禅宗看话禅
- 事迹：让看话禅名垂禅史

将军这一次从战场回来后，只见他满面风霜，充满了无尽的疲惫。

“我这一次下定决心，再也不作战了！”他对自己这么说，于是摘掉了军帽，脱下了军服，决意从此封刀。他无惧于寒冷的北风吹袭，只身前往径山的能仁寺。

到了能仁寺，他直接跪在宗杲禅师的面前，请求说：“我久战沙场，厌倦了战争，决定出家为僧，请收我为徒吧！”

老禅师淡淡地笑了一声，泼他冷水说：“你的烦恼太重了！不适合出家。”

将军却很坚持地回说：“我连国家都可以放下，一定可以出家的！”

老禅师还是不为所动，只应了一句：“慢慢再说吧！”说完，老禅师便离开了禅堂，留下将军一人喃喃自语：“师父！不用慢，我可以马上剃度❶的。”

❶ **剃度**：为出家的一种仪式。

这位老禅师虽然年纪大了，修行的功夫却早已登峰造极。谁的根器能够出家，他可是了如指掌，不是谁想出家都可以的！将军却不死心，第二天，天还没亮又跑来禅寺，在佛堂不停地跪拜礼佛。

刚起床的老禅师打了一个大呵欠，经过佛堂时，他看见将军又出现了，便问他说：“怎么这么早就来拜佛呢？”

将军为了表示自己很有悟性，回答了一句自己觉得很有禅意的话：“为消除我的心头火，特别早起礼敬师尊。”

但是老禅师并不领情，回了他一句：“你起得那么早，不怕太太红杏出墙？”

将军一听，气得不得了，这位禅师可是名震天下的大禅师，怎么会说出这种没礼貌的话？一向受人尊敬的将军，哪里经得起这样的羞辱，马上回骂说：“你这个老怪物，竟然敢出口伤人！”

这时老禅师哈哈大笑地说：“我只是轻轻一煽，你的火暴脾气就又烧起来了，像你这样的暴躁脾气，怎么能算得上是放得下？”一席话说得将军当场面红耳赤，不敢再提出家的事，只好乖乖地回家了。

老禅师看着将军消失在竹林后，转过头，慢慢踱向禅堂，想看看几个正在“参话头❷”的笨徒弟，究竟有没有悟出一点禅理出来。

几个毛躁的弟子，果然想破了头还是想不出个道理来，一看见师父现身了，以为救星到了，大叫说：“师父！您来得正好！”

宗杲禅师不动声色地回问：“怎么样？想出来了吗？为什么赵州❸禅师要说狗没有佛性呢？”

❷ **参话头**：禅宗公案常有一个字或一句话，让人参究禅法，称为“话头”。参禅时，以公案的话头作为用功方法，称为“参话头”。

❸ **赵州**：赵州从谂为唐代禅僧，为南泉普愿门下的高徒，留有许多脍炙人口的禅宗公案。

所有的人都哑口无言了，只有一名弟子老实回答："实在是想不出来，师父何不直接说明白？"

宗杲禅师爽快地答应："好啊！"弟子们心底大乐，没想到老禅师又蹦出一句："那你的饭我也帮你吃，你的工作我也替你做，这样你干脆去当个活死人好了！"

被师父指责的弟子们无辜地又说："可是咱们的'看话禅'真的太难了！同样是修禅，天童山的宏智[4]老和尚所提倡的'默照禅[5]'，所教的禅修方法就比较轻松容易，每天只要专心打坐，保持内心静默就好了！哪像我们一天到晚要参这些公案[6]的道理。"

老禅师听完后，大叹了一口气："话不是这样说的！打坐只能保持定性而已，只有参悟禅理才能开智慧，你们应该明了的啊！"

[4] **宏智**：宋代禅僧宏智正觉世称"天童和尚"，他的"默照禅"与大慧宗杲的"话头禅"齐名禅史。

[5] **默照禅**：为禅宗曹洞宗的主要禅法，"默"是指心中保持安定的状态，不受内心与环境的影响；"照"是指清清楚楚知道所有的状况。

[6] **公案**：本指官府判决是非的案例，禅宗引用为祖师们开悟的案例。

弟子们原以为又会被师父给臭骂一顿，没想到引来了师父这番感慨，这才知道师父的用心良苦，大家当下心生惭愧说：“都怪我们太笨了！才参不出话头的妙意，我们会再加油！”

老禅师露出笑容，勉励大家：“你们真的要好好地参！我参了十七年，才像打破了的漆桶，见到光明智慧，你们才参这几年就想开悟啊！”

众人不好意思，纷纷低下头来，一名新来的弟子低声问一旁的人：“什么漆桶啊？”

结果问话的弟子，讨了老禅师的一记禅杖：“你这个混日子的人，就是个装满乌七八糟烦恼的漆桶！”

临济宗大慧宗杲的“看话禅”和曹洞宗宏智正觉的“默照禅”是北宋时期两大禅宗禅法，但向来理念不合，以棒喝闻名、霹雳无比的宗杲，将宏智的“默照禅”批评得十分严厉，连弟子们都以为宗杲讨厌宏智。

这一天夜晚，发生了一件天大的事，宏智禅师的弟子一路从天童山跑来径山，手中握着一封被捏皱的信，请求交给宗杲禅师。事态严重到整个禅寺都点起了灯火，几名重要弟子匆忙起床赶到禅堂，不知道发生了什么事："师父老是批判宏智，会不会是宏智派人来向师父挑战呢？"

宗杲禅师不发一语，打开信一看，竟然是宏智写给他的遗书："我的后事就全部交给你处理了！"

宗杲禅师看完信后，说了一句："宏智圆寂了！"

连来送信的宏智禅师的弟子也吓一跳："师父跟平常没两样，吃过饭、洗好澡，只说要写一封信交给您，怎么就这样圆寂了？"

宗杲禅师跟弟子们交代一些事后，转头向宏智禅师的弟子说："咱们走吧！你师父要我帮他办后事，没想到他比我先走，我可得好好送他这一程。"

说完就和宏智禅师的弟子赶往天童山，留下错愕不已的弟子们："原来师父跟宏智禅师交情这么好的，我们都不知道。"

一名弟子则说："那他还把人家的'默照禅'骂得这么厉害！"

另一人若有所思地说："平时他也把我们骂得狗血喷头，这就是爱之深，责之切！"

跟随宗杲禅师最久的大弟子说："没错！师父可不是一般人，只有他这种登峰造极的人，才能够坚持真理，敢于批评自己最好的朋友！"

这句话引起其他人的共鸣："这就是我们的师父，换成我们一定做不到。"

大家不约而同地望向早已消失了师父踪影的寺门，天空中，黎明的曙光乍现。

最有力量的一支笔

大师密码 Zap 意志力

生于晚清的敬安禅师的家庭原是世代务农的纯朴家庭，但不幸的是他七岁丧母、十一岁丧父，只能将弟弟寄养在亲戚家，自己辍学帮人放牛为生。

后来敬安随法华寺东林法师出家，并在岐山的恒志禅师座下修学五年。敬安在岐山下的阿育王寺礼佛舍利时，燃左手两指供佛，因此自称“八指头陀”。喜爱写诗的他，出版了多本诗集，还有一个“爱国诗僧”的外号，经常以笔护教救国。敬安曾担任南岳上封寺、长沙上林寺、宁波天童寺等寺院住持，大力振兴了衰颓的寺院。重视教育的敬安，不但促成宁波僧教育会，并在宁波创办了僧众小学与民众小学。

辛亥革命时，敬安在上海组织中华佛教总会，被公推为首任会长，成为抢救佛教的“火车头”，带领佛教向新时代前进！

小档案 敬安

- 国籍：中国
- 名字：黄读山
- 别称：八指头陀
- 专长：诗文创作
- 影响：为著名的爱国诗僧，以笔护教救国
- 事迹：以坚强的意志力解救八国联军威胁下的中国佛教

翠绿的山间草原，牧童躺在草地上，对着天空吟起诗来，一旁的老牛安静地吃草：“松下问童子，言师采药去。只在此山中，云深不知处。”

老牛仰头叫了一声，似乎也陶醉在了优美的诗句中，牧童转头对老牛笑说：“我要是能出家该多好，就有个寄身之处，哪像你不知人间疾苦，每天只在山上吃青草。”

不久，天空乌云密布，牧童赶紧吆喝着老牛："快走！要下雨了。"雨都已经落下来了，老牛还是走得慢吞吞的，牧童只好暂时躲避到一间私塾的檐下。

牧童从窗口看见学堂里孩子们上课的情景，不禁心生羡慕，老师正在教唐朝诗人卢纶所写的唐诗《送李端》，讲到"少孤为客早"一句——因为年幼失亲无依，很早就失去了家庭温暖，只能漂泊异乡——让牧童深有感触，想起自己可怜的身世，他忍不住放声哭了起来。

雨总算停了，私塾里的学生们也下课了，牧童牵着老牛准备回家时，突然后面有人唤他："小牧童，你等等！"

他转头一看，原来是私塾的老师周云帆，他在讲课时也发现了窗外的牧童，问他："你叫什么名字，刚刚为什么哭了呢？"

牧童擦干眼泪，老实回答说：“我的名字叫作黄读山，因为父母都已经过世了，所以只好帮人放牛为生，没办法上学读书。”

周云帆看这孩子非常懂事，模样又十分聪慧，便热心提议：“这样吧！我教你读书，你帮我扫地煮饭当作学费，你觉得这样好不好？”

牧童高兴地点头答应了，他把老牛牵回主人家后，就在私塾里打杂兼上课。这是他有生以来最快乐的时光了，他不怕吃苦，就怕没书读，现在他也可以和一般孩子一样受教育，每天都沉浸在他最喜欢的诗词中。

只可惜好景不长，不久，老师周云帆生病过世了，读山不得已到一户有钱人家当了书童，却常常被斥责：“叫你帮少爷写功课，你怎么不写？”

“那是少爷的功课，我怎么能代劳？”

“你还敢顶嘴，马上滚出去！”

读山只好改去店家当学徒，但他不时也被师傅打骂：“你这个笨蛋，怎么教都教不会。”说完，就是一顿毒打。

读山即使被打得鼻青脸肿，还是必须背着重物到邻县送货，回来时在路旁的桃树下休息。又累又渴的他，看见桃花被风吹落如花雨飘落一般，目睹着美景，他忽然放声大哭：“在这世界上，哪里是我的归处？”

哭了一会儿后，他记起以前跟老牛说过的话："我干脆出家学佛好了，周老师也说过出家是一条解脱❶之道！"

十六岁的读山不屈服于厄运，选择了走另一条人生道路，他到法华寺出家，拜东林法师为师，从此改名为敬安。

"孤帆远影碧空尽，唯见长江天际流。"

在箨志禅师主持的仁瑞寺，一向提倡苦行修道的他，也吸引了十九岁的敬安前来参禅。寺中一位喜欢吟诗的精一和尚，不管走到哪里，总是摇头晃脑地吟诵古诗。

敬安也笑他："你明明出家了，却对这些世俗的风花雪月念念不忘。"

❶ **解脱**：指从烦恼中得到解放，不再有烦恼。

精一和尚回答说：“禅诗也是诗，如果能把修禅的境界融入诗词中，不也是弘扬佛道吗？”

敬安觉得他说得很有道理，自己从小也很喜欢诗词，诗词所呈现的境界，就像决定出家那天的桃花飘落一样，格外动人。而和精一相处久了，耳濡目染的敬安，也渐渐爱上了写诗，但他写得不是很好，因为小时候书读得并不多。

敬安常把写好的诗，请精一评论：“写得还可以！但还可以更好。”精一又安慰敬安说：“写诗也不能勉强，我看你早晚这么勤奋写诗，可不要累坏身体了！”

敬安回说：“就是写不好，才更要勤奋去写，您别担心我！”敬安不屈不挠的意志，让精一佩服不已。

有一天，一只生病的流浪狗跑到寺里找东西吃，敬安看它摇尾乞怜的模样，不免心生同情：“这只狗跟以前的我有什么两样呢？”

敬安跑去厨房把剩下的饭菜盛了一碗给狗吃，狗吃得很开心，却不肯离去，敬安没办法只好偷偷养着它。因为寺院规定不能养宠物，所以敬安把狗安顿在仓库后面，每天定时来喂它。

这天饭后，箝志方丈在寺院里散步，慢慢走向仓库这边，正喂完狗的敬安，眼看师父就要过来了，情急之下把狗赶到后头，然后自己把剩下的狗食吃完，师父疑惑地问他：“敬安，你怎么跑来这里吃饭？”

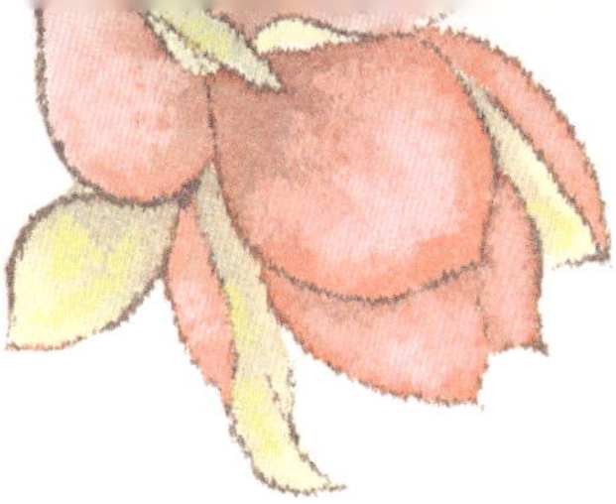

敬安红着脸说：“刚刚餐桌没空位，所以才来这里吃。”

师父点头离去，但敬安回房后却呕吐不止，整个人昏睡不醒，整整躺了一天一夜，醒来后发现自己好像脱了一层皮，整个人也变得更加清明。更有趣的是，他开始出口成章，每个诗句都有如神助、浑然天成，而那只狗后来也不知去向了。

精一得知后，笑着跟敬安说：“看来你的爱心和毅力感动了菩萨，让你写诗的功力大为增长。”

敬安一边作诗，一边云游四海，诗集《嚼梅吟》出版后，在诗坛引起了轰动，许多人对他赞誉有加：“这就是爱国诗僧敬安的作品，写得真好！他不但以笔弘法，而且面对列强侵略，还以笔护国，写了不少爱国诗文。”

“我虽学佛未忘世。”这是敬安经常勉励自己的话。他虽身处在风雨飘摇、列强环伺的清末民初，不但没有因此避世隐遁，反而通过写诗护国，并积极为救国难四处奔走，连在病中，听到法军侵犯台湾的消息，都忧心难眠。

幼年失学的遭遇让敬安深知无法读书的痛苦，所以更加重视僧人教育。他被公推为中华佛教总会会长，成为佛教力挽狂澜的希望，他力请政府保存寺院财产，而且不让列强入侵中国佛教，政府因此下令让各地自办僧学，首开中国佛教自办僧学的创举，让佛法得以传续不绝。

你听见春天了吗？

大师密码 Zest妙趣

大家都喜欢“挖宝”，即使要冒险，人们也还是跃跃欲试。其实，挖宝不一定要冒险，因为宝藏有很多种，不见得都是金银珠宝，朋友是宝藏、智慧是宝藏、青春是宝藏……我们的心更是宝藏中的大宝藏，但心光往往被烦恼尘埃覆盖住了。

唐朝的大珠慧海禅师也是个寻宝者，他不辞辛劳地寻师访道，就是希望可以让自己心的智慧早日开窍。他原本向越州大云寺道智法师学法，后来前往江西参访名震天下的马祖道一禅师。马祖道一禅师问他何事登门，大珠说是为求佛法，马祖反而笑他是丢下自家宝藏不顾，到处乱寻宝。这让大珠明白宝藏不必远求，自己的心早已富足无缺便是宝藏。他的智慧心，自此成为能帮人们照破烦恼的“夜明珠”！

小档案 大珠慧海

- 国籍：中国
- 别称：大珠和尚
- 专长：禅修
- 影响：著作《顿悟入道要门论》影响深远
- 事迹：与马祖道一妙问妙答

山顶有一棵巨大的老树，老和尚每天都会来这里绕树走一圈，也不管十一月北风吹，十二月白雪飞，到了三月桃花开，七月艳阳天，九月秋枫红……老和尚总是笑嘻嘻地跟老树大声问候：“你今天怎么样？我今天好极了！”

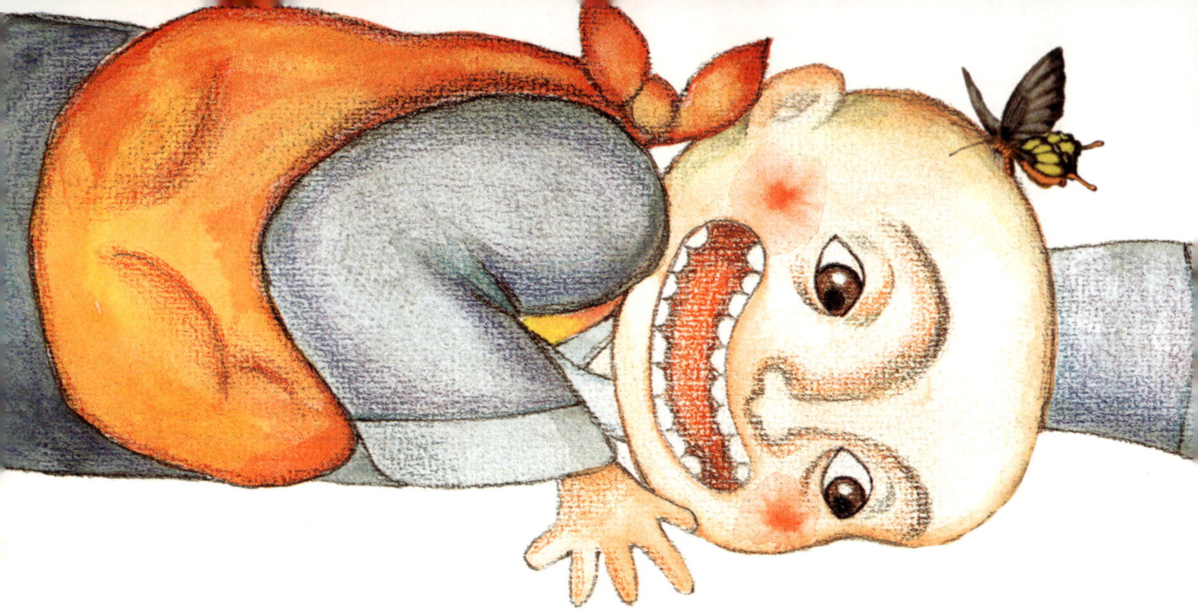

住在大云寺的这位老和尚，是无人不知、鼎鼎有名的大珠慧海禅师。春天到来的时候，有源禅师从远方特地来向他请教。

有源禅师跑遍了整个寺院，都找不到老和尚，有点失望地想要离开时，却看见门外光秃秃的泥地上，蹲着一位老先生，仔细一看正是慧海禅师。有源禅师开心地走过去："我找您半天都找不到人，您为何蹲在这里呢？"

老和尚正专注地看着泥地，也不知道在看什么，一听见有人喊他，赶忙伸出食指放在嘴唇中间，轻轻"嘘"了一声。

有源立刻噤声不语，深怕打扰了老和尚，他跟着蹲在旁边，却猜不出老和尚究竟在看什么。

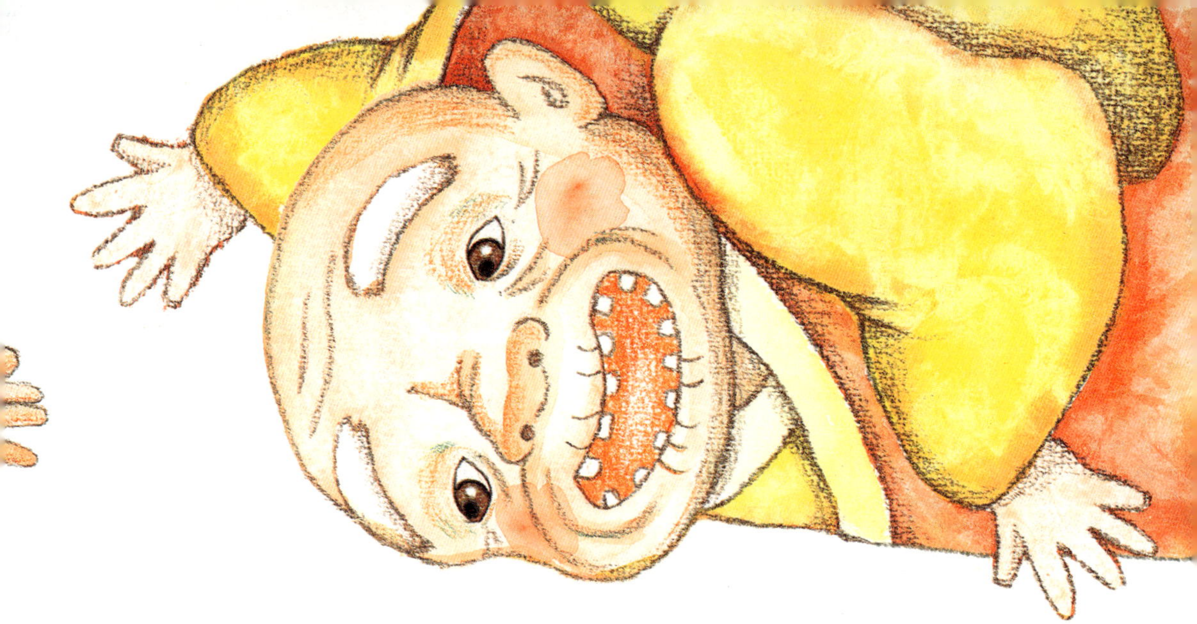

这时老和尚唤他："来！把耳朵贴近地面。"

有源禅师听话地低头把耳朵接近泥地，老和尚又认真地问："听见了吗？"

有源禅师仔细一听，什么声音也没有，只好尴尬地笑一笑："不好意思，我什么都没听见！"

老和尚神秘地说："把眼睛闭起来，再仔细听听看，有没有听见种子发芽、冒出泥土的声音？"

这一次有源禅师似乎有感觉了，他抬起头兴奋地说："好像有一点呢！"

老和尚拍拍身上的泥土灰尘站了起来，高兴地说："真好！春天来了！"有源禅师也跟着站起来，和老和尚一起走回寺院："是呀！寒冷的冬天终于过去了，又是春暖花开的季节。"

老和尚边走边说："冬天也很好，什么季节都好！"

这一说，把有源禅师弄糊涂了：“师父刚才说春天真好，怎么现在却说所有的季节都一样好？”老和尚斟了一杯茶自己喝，另递一杯茶给有源禅师说：“那当然！只要活在当下这一刻，天天都是好日子。”

“哦！原来如此。”有源禅师点头，表示赞同。

喝了一口热茶后，想起此行的目的，有源禅师又开口：“您已经是得道的高僧，现在还在继续用功修行吗？”

老和尚沉浸在茶香中，细细品尝着茶的滋味，顺口说：“有啊！”

有源禅师赶紧接着问：“是怎么用功呢？”

老和尚不假思索地回答：“饿了就吃，困了就睡。”

有源禅师一听，“扑哧”一声笑了出来，以为老和尚在跟他开玩笑：“师父，每一个人不都是这样，饿了就吃，困了就睡？如果这算用功的话，那不是每个人都很用功吗？”

老和尚原本也跟着哈哈大笑，但却突然斩钉截铁回了一句：“不一样！”

有源禅师好奇地问：“有什么不一样呢？”

老和尚轻松地回说：“一般人吃饭时，不好好吃饭，挑三拣四，要这个山珍，又要那个海味，索求无度，非得满足口腹之欲不可；睡觉时又不肯好好睡，整天梦想着荣华富贵，处处和人计较，睡得一点都不安稳，这和我无忧无虑地吃睡，当然不一样喽！”

老和尚这一番话，就像种子的新芽冒在有源禅师的心头：“我能像师父一样，这么单纯地过日子，而不起任何的妄念和烦恼吗？原来这才是真正的用功之道啊！”

有源禅师告辞后，老和尚也累了，就去睡觉了。

春天来了又走了，夏天、秋天也转眼就消失了，等到白天变得更短、夜晚变得更长时，有一天老和尚醒来，看见皑皑飞雪又说：“真好！冬天来了！”

北风送来了另一位禅师——道光：“请问有人在吗？”

老和尚打开门，把快成雪人的道光禅师带入温暖的室内，并递给他一杯热气腾腾的茶。

道光禅师喝了一口，觉得身体有一点热气了，用功的他马上急着请教修行问题：“请问您平常用功，是用什么样的心来修道呢？”

老和尚轻松地回说：“我既没有用心，也没有在修道。”

老和尚真有趣，他的答案和先前跟有源禅师说的完全不一样，因为这两个人的聪明才智不同，所以老和尚因材施教，特地用不同的方式来开导他们。

道光禅师疑惑地又问：“既然您没有用心，也没有在修道，那您为什么要劝大家参禅呢？”

老和尚摇头否认说：“没有啊！我连话都不会说了，怎么劝大家参禅呢？你看见任何人来听我说法吗？”

道光禅师有点生气地说：“师父！出家人不能乱说话！”

老和尚继续赖皮：“我没有舌头，怎么能乱说话？”

道光禅师知道老和尚是在点醒他，便说："既然您没有舌头，也没有在说法，那您的意思是，世间的一切都是假的了？"

老和尚却说："都是真的！"

道光禅师恼火地说："既然都是真的，那您为何一直不承认呢？"

老和尚笑呵呵地说："人世间本来就是真真假假、假假真真，你这么认真地执着于真假，不是活得太累了吗？为什么不轻轻松松、自自然然地过日子，茶来伸手，饭来张口，管他用什么心呢？"

这下子道光禅师终于恍然大悟了！大雪停了以后，道光禅师便离开了。在道光禅师之后，有更多的人来向老和尚请教，老和尚还是每天开心地过日子，妙语如珠。

看着花开花落，春去秋来，陪老和尚散步到山顶的弟子问："师父，世界上有没有一种法则，可以超越大自然之道？"

老和尚回答："有啊！"

弟子好奇地说："真的有吗？那是什么？"

老和尚又露出神秘的表情："那就是了解并尊重大自然之道的人！"他又低头向眼前的大树深深地鞠了一躬。

眼睛不见了！

大师密码 Zen 禅

唐朝的洞山良价禅师，从小就与众不同，在他满周岁抓周时，手里抓的不是糖果、元宝，而是佛经。他不但从小就喜欢背诵佛经，长大后更主动请求母亲让他出家学佛，果然是与佛有缘！

洞山良价在五泄山随灵默禅师剃度出家后，先是参访了一代宗师南泉普愿、沩山灵祐，后来又有机缘接受云岩禅师的教导，传扬他的禅法。虽然洞山良价在离开云岩后，遇到了唐武宗毁佛的“会昌法难”，但这并未影响他的修行，本就习惯隐居山野的他，反而因此更行云流水般自在地参访各地知名禅师，与他们一起留下了珍贵的禅法问答故事。

他后来在新丰山定居，将禅法传给曹山本寂。在师徒的齐心协力下，创建了中国佛教曹洞宗。

小档案 洞山良价

- 国籍：中国
- 谥号：悟本禅师
- 专长：禅修
- 影响：禅宗曹洞宗始祖
- 事迹：见水中倒影，了悟禅机

野兔奔跑在宁静的山间溪畔，远方忽然传来一阵脚步声，野兔竖起长耳朵，以为是猎人来了，警觉地躲到一旁。

结果，来的是两名年轻和尚僧密与洞山。僧密边走边抱怨说：“没想到这座山这么难爬，可把我给累坏了！云岩禅师怎么会住在这么偏远的地方？”

洞山安慰他说：“要寻访明师，当然必须费一番功夫啊！”

僧密皱着眉头回说：“话是没错，可是万一我们费这么大功夫，还是找不到云岩禅师呢？”

洞山笑说：“那我们就把这一趟寻访当作是一次旅行，边走边玩，你觉得呢？”

僧密释怀地应说：“嗯！这主意不错。”

两人笑着渡过小溪来到对岸，继续往山顶走去，野兔也蹦蹦跳跳赶紧离开了。走了半天，他俩终于来到一片陡峭的岩壁，眼前出现一个个连绵不绝的洞穴，好像迷宫一般。

僧密小声说：“这应该是云岩禅师修行的地方了。”他的话在山洞内，引起一阵回音。

两人在洞穴间穿来穿去，终于看见一位白胡子老和尚，自在地坐在洞内，一派悠闲地问陌生的闯入者：“有事吗？”

洞山恭敬地回答：“我们特地来向云岩禅师请教禅法。”

老和尚只应了一句话：“心中无事就是禅，有什么好请教的！”

经老和尚这么一说，他俩更确定老者就是云岩禅师，两人便留下随老和尚修禅。

这一天，云岩禅师正在编织新的草鞋，全神贯注的样子好像在制作一件完美的艺术品，眼睛眨也不眨一下。洞山看见师父这么专心的模样，忍不住问：“我想跟您要一样东西。”

云岩禅师把编好的草鞋，拿起来欣赏一番，顺口问：“什么东西？”

洞山回说："您的眼睛。"

对于弟子唐突的要求，云岩禅师还是很平静，继续看他手上完美的草鞋："你有自己的眼睛了，何必还要我的眼睛？"

洞山露出懊恼的表情："我没有自己的眼睛！"

云岩禅师抬起头看着洞山，那一双眼睛仿佛深邃的空谷一般："如果我把我的眼睛给你，你会怎样？"

洞山无言以对，云岩禅师指着自己的眼睛问："你所要的，真的是我这一双眼睛吗？"

洞山摇头说："其实不是！"

看洞山说得颠三倒四，云岩禅师当场大喝一声："你给我出去！"

被师父这一吼，洞山也不惊慌，反而诚挚地向师父说：“如果我现在就出去的话，没有眼睛就看不到前方的路啊！”

云岩禅师指着洞山的胸口说：“不是早就给你了吗？为何还一直吵闹不休？”

云岩禅师话一说完，就带着编好的草鞋返回他的洞穴，留下洞山一人咀嚼禅师话中的含义：“师父的意思是‘凡事不只是用肉眼去看，还要用心眼去看！用心才可以看见真实的一切。’”

洞山在云岩禅师身边，过着数十年如一日、山中无岁月的生活。直到有一天，他忽然把僧袍穿起来了，云岩禅师一看心中有数，问他："你要去哪里？"

洞山回说："只是想去别的地方学习，还不知道要去哪里。"

云岩禅师知道洞山已经不是当初来问禅的那个懵懂年轻人，已经能做自己的主人了，云岩禅师起身送爱徒离去，有所感触地说："这一次离别后，要再见是不容易的！"

洞山豁达地回说：“可是不相见也很难的，因为师父一直在我的心中，片刻不曾和我分离。”

云岩禅师一听哈哈大笑：“是的！是的！”

拜别了师父，洞山只身走在下山的古径上，以前来时经过的那条小溪，此时春暖水涨。洞山经过小溪时看见自己的身影倒映在水中，随着水波荡漾着，有时聚合一起，有时裂成碎片，他想起过去，与师父相处的点点滴滴都浮上心头。

看着水中千变万化的倒影，洞山忽然明白了师父这些年来的教导："如果只从外表去看一个人或一件事，那就像追逐水中的倒影一样，徒劳无功。禅也是一样，不要离开自己的心，向外追求人生幻影。"

洞山这么转念一想，整个人便焕然一新了，他往前迈步而去。在唐武宗毁佛期间，他低调地走访了几位知名的禅师，武宗驾崩后，新皇帝唐宣宗取消了佛教禁令，而洞山也在新丰山找到了弘法的落脚处，在生活中随机教导弟子们禅法。

一天，吃过午饭后，弟子们正忙着洗碗，院子里突然飞来两只乌鸦，你争我夺地不知在抢什么，其中一名弟子伸头一看，大叫说："它们在抢一只青蛙吃。"

站在洞山身旁的弟子，顺口叹气说："唉！只是为了一只青蛙，两只乌鸦就打成这样。"

洞山看了弟子一眼，回说："它们是特地表演给你们看的！"

弟子当下醒悟，原来这就是人生的戏码，人们常常将生命耗费在你争我夺上，一番争夺的结果，说不定反而失去了宝贵的生命。因此弟子赶紧向洞山道谢："谢谢师父的教导。"

这时，洞山转头问其他的僧众："你们告诉我，世间什么最苦呢？"

有位弟子答说："地狱最苦了！"

洞山回问："是吗？"

众僧想不出来，只好又问师父：“那请您说说看，什么最苦？”

洞山指着每一个人的头说：“你们这些人穿着僧衣，却还参不透生死大事，这才是最苦的事！”说得大家哑口无言。

洞山后来传法给本寂，师徒两人共创了曹洞宗，不但与当时的临济宗齐名，还流传到日本，成为日本佛教的主流，震古烁今。